搅龙松

西海

文光亭

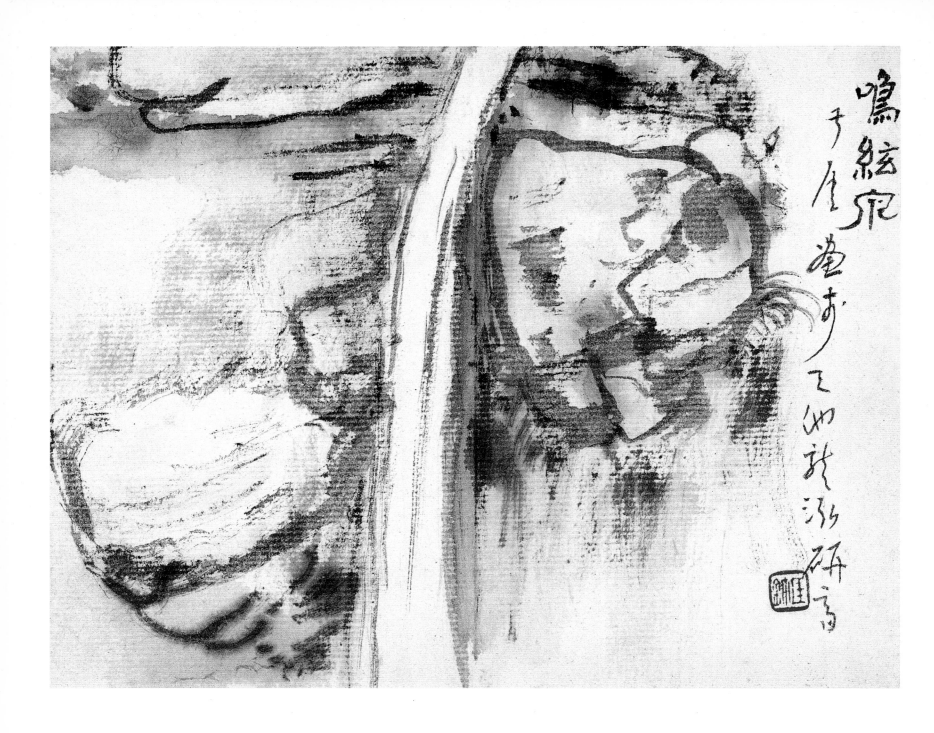

鸣弦泉

送客松

丹台

岩洞

峡江过帆

北固山

山边人家

太湖归棹

夜泊

疏林策骞

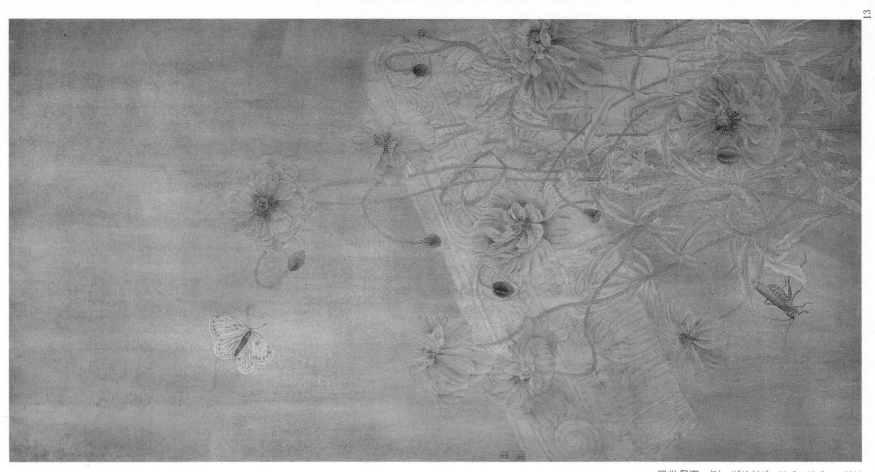

四季物语·夏　纸本设色　88.5×48.5cm　2010

四季物语·秋
纸本设色 88.5×48.5cm 2010

四季物语·冬　纸本设色　88.5×48.5cm　2010

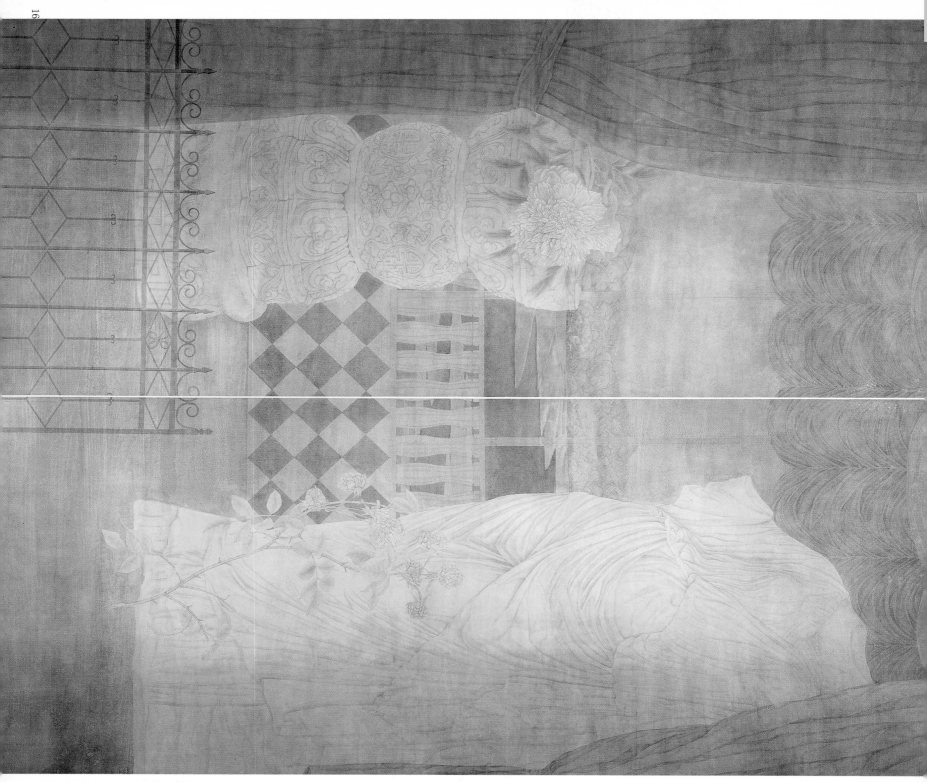

对话　纸本设色　135×167cm　2009

彼岸花　纸本设色　67×134cm　2009

晴香闲梦 纸本设色 176×97cm 2009

清露香　团扇绢本　31×32cm　2010

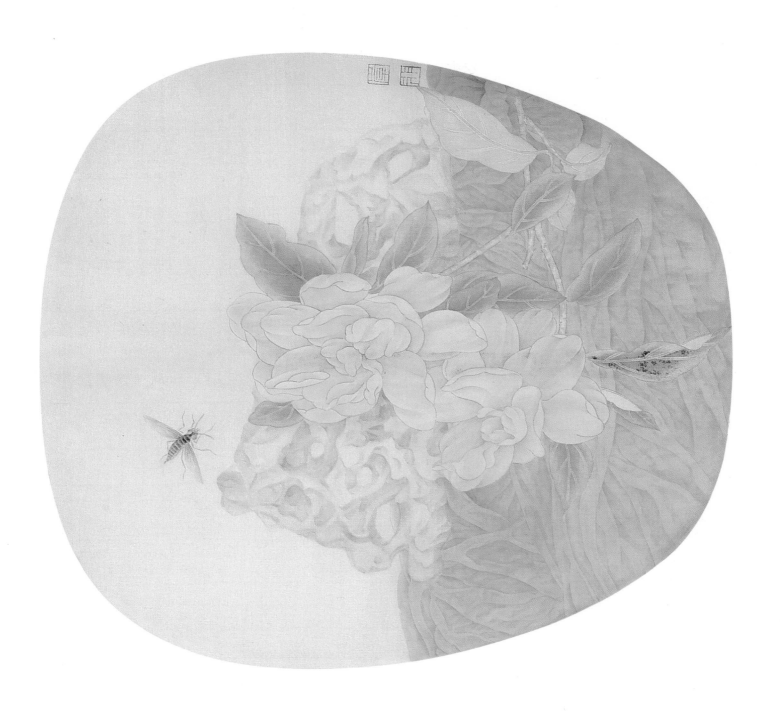

眉黛绿　团扇绢本　31×28cm　2010

凝香醉　银笺设色　33×33cm　2010

香自清 绢笺设色 33×33cm 2010

栖鸟朱花
纸本设色　175×96cm　2009